KB195197

Esther's Healing lighthouse

등대연애, 시와 에세이

에스더의
힐링등대

신에스더 지음

Prologue

어느 날 문득, 혼돈으로 가득한 일상을
치유하기 위한 최선의 방법으로

힐링등대를 찾아 떠나는
여행자가 되기로 작정했다

사람을 사랑하는 일은 기어코
스스로 등대가 되는 일이기에…

part I

part Ⅱ

part Ⅲ

part IV

poem with essay

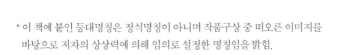

Esther's Healing lighthouse

등대연애, 시와 에세이

에스더의
힐링등대

신에스더 지음

part Ⅰ

햇살 받아야
비로소 베일 벗는 곳

인천 연오랑 세오녀등대

멀리 심해까지 닿을 깊이로
방파제 긴 둑 오가는
소소한 두근거림

자물쇠로 닫아둔 전설이
햇살 받아야
비로소 베일 벗는 곳

떼지어 수다 짓는
갈매기들의 달음박질
연안부두 화사한 바다

명주비단으로 치장한
연오랑 세오녀의
사랑 나들이에

함박가슴으로
목마 태우는
벅찬 설레임

가끔은
세월 건져 올리며

강릉 심곡항 빨강모자등대

은빛 물결 춤추는 곳에
바다부채 길잡이

가끔은 심술쟁이
뾰족한 암벽들

또 가끔은
세월 건져 올리며

파도 낚는
낚시꾼들

선하게 안아주는
빨강모자등대

금방이라도 날아오를 듯

무안 톱머리 해변 비행기등대

돌고래를 닮은 건지
비행기를 닮았는지

요염하게 팔짱 낀
톱머리 해변

먼 하늘 구름 사이로
투명한 빛 길 내고

금방이라도 날아오를 듯
준비 자세 취한다

바다 위 친구들
오밀 조밀 줄 서니

푸른 등 창문 사이로
깨알 웃음 터진다

더 큰 용기로
비상하는 꿈

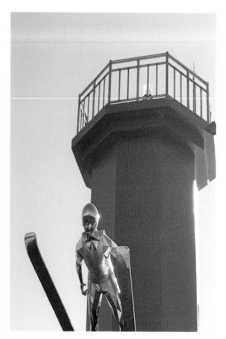

설악 해맞이 스키점프등대

설악은 이미
솟아오르고 있었다

곧 만나게 될
평창의 눈밭을

뛰어 오르는 것이
비단, 지상에서 뿐일까

겨울 푸른 것이
오로지, 바다뿐이랴

하늘 더 높은 곳에서
넘실거리는 설경 향해

고함보다 더 큰 용기로
비상하는 꿈

등대 너른 품안에서

주문진 아들바위등대

숨어서 지켜보는 중이다
주문진, 방파제 너머
아들바위 작은 햇살

바다 조각 방석 삼아
소소히 유랑하며
파도 위에 떠 있는 너를

누군가는 자연의 모양이라 하고
또 다른 이는
만들어 띄운 꼴이라 하니

쏟아지는 태양 부수어
자잘한 현미경 삼아
너의 하는 모습을 지켜볼 참이다

등대 너른 품안에서
까르르 재롱이 넘치는
아들바위 둥근 넉살

그 날, 그 곳에

주문진 도깨비 방파제등대

금방이라도
튀어나올 것 같아
도깨비 심장으로 빚은
천년의 사랑

고약한 바람에도
흔들리지 않을
굳건한 믿음
그 날, 그 곳에

바다보다
더 푸르고
파도보다
더 높다란

사랑이
숨었다
주문진
도깨비 등대

돌아서면 잊을까봐

제주 마라도 땅끝등대

제주의 끝에서
바다를 읽는다

밑줄도 긋고
콧소리도 내면서

국토 최남단이라 쓰고
사랑이라 외운다

돌아서면 잊을까봐
자꾸 자꾸 바라보다

마라도 등대 곁에서
검은 돌이 되어 버렸다

하늘까지 차 오르면

제주 우도 답다니탑등대

돌계단 한걸음마다
파도소리 화음 섞어
노래 부른다

등대 키만큼
어깨동무 견주고
하늘까지 차 오르면

바람도 추임새로
슬며시 다가와
얼쑤 흥이 돋아

제주 속, 작은 제주
우도 답다니탑
망루 바라기

오랜 사랑을 마주하다…

제주 우도등대

먼 길 휘 휘 둘러
드디어 오랜 사랑을 마주한다

하늘은 적당히 낭만적이었다가
때로는 불현듯 성을 내고

치명적으로 사모하는
우도 붉은 탑 언저리에는

아련한 꿈길로
순백의 심장이 걸린다

돌아가기 싫어 몸부림 치다가
말없이 잠든 나를 두고 나오는 길

떠나도 깨지 않을
우도의 전설이 열린다

지상의 가난을 잊는다

제주 섭지코지등대

지상의 땅 한 평 갖기가
얼마나 힘이 드는지

섭지코지, 좁은 땅 위에
굳이 누워보지 않아도 안다

그래도 바다를 받치고 선
마음의 평수만큼은

세상 어느 것보다 더 넓다는 것
그 사실만큼은 알 수 있다

푸른하늘 지붕 삼은
섭지코지 너른 가슴

한량 없는 넉넉함에
지상의 가난을 잊는다

와락, 사랑스러운…

제주 이호테우 목마등대

하루에도 몇 번씩
변덕 넘치는 제주
비 오다, 바람 불다
이내 화사한 볕 받아 빛나니

와락 사랑스럽다
두 마리 희고 붉은 말
수소문해서 찾아나선 길
삼삼한 애정공세 넘쳐

저마다 극적인
감격의 상봉
제주, 눈부신
이호테우 목마 등대

먼 길 마다 않고

울산 울기 친구등대

친구는
오던 길을
되돌아갔다

다시
오기 위해
먼 길 마다 않고

함께
꾸는 꿈이
영그는 숲 길,

그래서
걸음대장이
되어 다시 돌아왔다

왕벚꽃의 합창이
배경음악으로
화답하는 그 길

구름을 끌어 올리다

울산 화암추등대

우리나라에서
가장 높은 등탑을 가진
화암추등대

하늘도
살짝 경쟁의식을
느끼는 듯

더욱 더
멀리까지
구름을 끌어 올린다

청명한 자태로 뻗은
키다리 바다 지키미
화암추등대

함께 울기도
어울려 웃기도 하며

동해 슬도 명파등대

바다를 켜는 소리,
슬도가 온통 가락이다

때로는 잔잔한 물결로
간혹 세찬 파도로

수평선 너머까지
슬도명파 선율이 흐르고

함께 울기도
어울려 웃기도 하며

희로애락이
숨 쉰다

part II

첨 본 듯 오래 본 듯

울산 방어진등대

방어를 보지는 못했지만
방어가 많은 곳이라
방어진이라 한다더라

파랗고 붉은 등대
유유히 휘감아 도는
다정한 방어들

첨 본 듯
오래 본 듯
그렇게 다가오는 풍경

결코, 흔들리지 않을

포항 호미곶등대

호랑이 포효하듯
길게 뻗은 강인함
하늘을 받치고 선
단호한 믿음

거센 바람에도
결코, 흔들리지 않을
용기를 본다

화해를 꿈꾸는 상생의 손
솟아오르는 태양을 만나
도원결의하듯
호연지기를 맺고

다시 찾은
호미곶, 그 넓은 자유
거저 선물로 받는다

외로운 길손 맞아주는
넉넉함으로

포항 호미곶 남매등대

세상에서 가장 아름다운 우애로
다정히 선, 호미곶 남매등대
아침 햇살마저 은근히 던지는
황홀하고도 부드러운 시선

멀리 뻗은 그림자마저
외로운 길손 맞아주는 넉넉함으로
바다에서 하늘까지
고운 융단을 깔아주더라

호미곶 거친 방파제
오롯이 내어주는 너른 품
알콩달콩 푸른 심장으로
빠져들어도 좋으리

오랜 시간이 흐른 후

강동 주상절리 붉은 탑등대

마치 다른 나라에 온 듯
착각을 일으키게 하는
강동 주상절리, 붉은 탑

하늘 구름까지
안테나를 올리고
뻗어나가는 기도

오랜 시간이 흐른 후
그제서야 닿을 바람이
간절하게 보내지는

그 곳에
한 치의 망설임 없이
소원 한 쪽을 두고 왔다

`

목청껏 내달리는 곡조

울산 정자항 귀신고래등대

누구를 향해 부르는 노래일까
가로등 마이크 삼아
목청껏 내달리는 곡조

건너편
붉은 고래도 함께
화음을 맞추고

흔들리는 파도
넘실거리는 낙조까지도
숨죽이며 듣는다

바다 향한 길 따라

군산 어청도 빨강모자등대

늘 푸른 섬, 어청도
포근히 감싸 안은 산줄기
둘레둘레 오르다 보면

왕방울만한 두 눈으로
초롱초롱 등대 지키는
견공 보리를 만난다

바다 향한 길 따라
깍듯하게 안내하는
보리의 발 끝

바람도 어우러져
춤사위 흐드러지는
늘 푸른 섬, 지키미 등대

아슴한 설렘과 조우하고

인천 소청도등대

금단의 배를 타고
미지의 파도를 넘는다

좀처럼 속곳을
허락하지 않는 품

길고 긴 너울거림 끝에
드디어 도착한 원형의 섬

하늘은 구름과 더불어
아슴한 설렘과 조우하고

우직한 태초의 가락을 열어
너울너울 춤 사래를 펼친다

늘 바라보고 소원하던
벅찬 기다림의 노래를

어설픈 사랑, 철 없는 추억

울산 간절곶등대

다시 찾은 간절곶
어느 날인가 홀연히
숨겨두었던 소망

들킬까봐
꼭 꼭 감추었다고
내심 생각했는데

그건 순전히
내 생각이었을 뿐
아니었나보다

다시 찾은 간절곶,
푸른 소나무
몸으로 기억하고 있는

어설픈 사랑과
철 없는 추억 속
두툼한 꿈의 자락을

수줍게 영그는 꿈

부산 영도등대

어느 때이던가
찬란한 빛, 취해
황홀하던 그 날이

지금 다시 와
넘실거리는
파도와 해후하니

여전히 청량한
순백의 자태까지
곱게 멈춘 시선

가슴에 꼭 숨긴
기억의 햇살
작은 기도 한줌

함께 바라보던
선한 방향대로
수줍게 영그는 꿈

어찌 다 헤아릴까
희고 붉은 사랑

군산 어청도 방파제등대

하루를 달려
저녁에나 만난

어청도 방파제
구름모자 멋진
순백의 등대

가까이 손 뻗으면
닿을 듯 말 듯

지근한 거리에서
길고 뾰족한
붉은 가슴 마주한다

이제나 저제나
서로를 그리워했을

희고 붉은 사랑
어찌 다 헤아릴까
그 아득한 깊이

오랜 세월
두터운 비밀의 서사

오랜 세월 견뎠다는데
아무도 그 이력 알지 못하고
누구도 그 태생 밝히지 못해

한참을 철탑으로 남겨져 있다가
지극히 최근에야 아이보리
겉옷 치장하였다 하니

하늘에 봉화 피워 올리듯
간절한 염원 흐르고
의연한 자태로 우러르는 높이

어드메서 알아 주나
어청도 섬만큼 켜켜이 쌓인
오랜 세월 두터운 비밀의 서사

군산 어청도 철탑등대

태양이 그린 그림

부산 오륙도등대 1

뜻밖의 만남
태양이 그린 그림
홀로 찾은 오륙도

이리 앉고 저리 서고
어화둥둥 내 사랑
노래자락 절로 터져

그냥 여기서 살까
숨을 곳을 찾다가
고깃배에 다시 실려 나간다

오륙도, 자꾸 돌아보며
다시 불러도 주루룩
기쁘게 눈물나는 섬

오륙도 수호천사
레드 앤 옐로우

부산 오륙도등대 2

바다 한가운데 두런 두런 모여
때로는 다섯 개라고
혹은 여섯 개라고도
알쏭 달쏭 소문 무성한
오륙도의 비밀

그 곁을 무심한 듯 지키며
일렁이는 바다 그림자로
어둠 속 너그러운 불빛으로
다섯 개의, 혹은 여섯 개의
섬들을 다독이는 수호천사

붉은 몸짓,
샛노란 높이로
오고 가는
갈매기마저도
쉬어가는 품

따스하게 어울린
아름다운 시선

제주 산지등대

한달음에 달려간 품
초록으로 빛나는
제주항 가장 높은 곳

에둘러 가는 길조차
정답고도 한없이
다정한 기억

따스하게 어울린
아름다운 시선의
제주 산지등대

다시 보자며
멀리 배웅 나온
울긋 불긋한 섬들

가만 가만 들려주는
바당 너그러운
바람의 속삭임

part Ⅲ

언제라도 곁을 내어주는

제주 애월포구 도대

등대마저 없는 포구
오고 가는 작은 고깃배들
충분한 위안으로 지켜주는
애월, 따뜻한 도대

어제도
오늘도
그리고 내일도

고기잡이 거친 발품
너그럽게 바라보며
언제라도 곁을 내어주는
넉넉한 수호천사

애월포구
잔잔한 풍경
든든한 도대

행여 놓칠세라

긴 세월 아우르는
강화의 물줄기

작은 암초 위
초록의 무게로 받치며

오고가는
바람의 숨결까지도

행여 놓칠세라
헤아리는 심정

정다운 강화
초록 등표

강화 초록등표

까짓 수고로움이야 암시랑토 않다

보성 율포 해변등대

거친 태풍 쁘라삐룬으로
전국이 난리나던 날
소매물도 가던 길 막히고

커피나무 자란다는
고흥으로 대신 달려가
붉은 열매 커피향에 취한다

두런두런 드립커피
온 몸 적시고
벌교 지나 보성까지

세찬 빗길 야무지게 건너고
험한 산길 두루 거쳐 만난
까짓 수고로움이야 암시랑토 않다

황토 빛 바다 아우르는
율포해변 방파제 등대
그 넉넉한 품에 기댈 수 있으니

다시 오마 약속하며 가슴에 새기는

울릉도 현포등대

그 사람이 그 사람인 듯
거센 인파의 어울림 속에서
너를 보려면 한참을 더
등대길을 타야 했다

이름 모를 바다새들의 마중을 받으며
가끔씩 풀꽃들과 서로 방귀도 트고

울릉도에 없다는 세 가지
뱀과 도둑과 공해
울릉도에만 있다는 다섯 가지
물, 돌, 바람, 향나무, 그리고 미인들

우산국관광 51호차 타고
울릉도 서쪽과 북쪽을 돌아드는 길

현포, 검은 빛 바다로부터
저 높은 곳 태하까지
다시 오마 약속하며 가슴에 새기는
울릉도 너그러운 등대풍경

멀리서만 바라보다

독도등대 1

저 길 따라
하염없이 오르고 싶었다
언제 다시 올지
기약할 수 없기에

만나자 마자
이별을 준비하고
돌아 나오며
벌써 그리워하는

꿈 속에서라도
꼭 만나리라
두 손 꼭 맞잡고
다짐하는 섬

헤어질 때 감춰둔 가슴

홍도등대

혹시나 만날 수 있을지
가는 날까지 두근두근
혹시나 떠날 수 있을지
돌아오는 순간까지 조마조마

그렇게 널 만났고,
또 그렇게 너와 이별했다
만나서 나누던 마음
헤어질 때 감춰둔 가슴

다시 보자는 상투적인 다짐
그것으로는 성이 차지 않기에

'다시 올께'

밤새 구부려 쓴 한마디,
선착장 돌계단에 깊이 새긴다

다시 안길 날
기약하자니...

통영 소매물도등대 1

그대에게 다가가기가
어찌나 두렵던지
가다가 가다가
제자리 걸음만 몇 겁

기어코 그 품에
안겨보지도 못한 채
그저 돌아와
서러움에 몸살이 나고

어느 날,
제대로 된 물때 만나
다시 안길 날
기약하자니

마음길이 흩어져
천 갈래 만 갈래
갈라지는 파도에
살이 베인다

매일같이 뒤척이던
수많은 날들

통영 소매물도등대 2

잊을 수가 없어
매일같이 뒤척이던
수많은 날들

인고의 시간 지나
드디어 만난
환상의 섬

발가락이 구겨지고
무릎이 까져도
아랑곳하지 않고

달려간 소매물도
황홀한 바닷길
푸른 등대섬

평생 그리움을 새긴 채

울릉도 행남등대

섬을 가득 채운
부드러운 향기
해암 뚫고 자란
향나무의 속살

바람 따라 그렇게
행남길을 걷고
하루를 온전히 섬겨
평생 그리움을 새긴 채

돌아 나오다
미처 나오지 못한
울릉도 물땅구
그리운 바닷길

그리움에 그리움이 더해져

독도등대 2

그리움에 그리움이 더해져
눈물로 지어 만든 노래
육지의 한가운데서
동쪽 바다 끝까지

어울너울 바람결 타고
수천의 시간 흐르더니
불현듯 다가온
감격의 순간

두근거리는 호흡
독도 선착장 가득 채우고
괭이갈매기 힘찬 날갯짓
몸도 마음도 솟구쳐 올라

순백의 매끈한
정상에 닿는다
독도, 아 독도
찬란한 심장이여

이제는 괜찮다, 괜찮다

울릉도 태하등대

향목 절벽 끝단 바라보며
너그럽게 서 있는 순백의 높이

누군가 사무치게 그리워
죽을 것 같을 때

태하등대 큰 키에 기대어
한없이 울어도 좋으리

그렇게 실컷 울고 나면
홀연히 마음 털고 일어나

이제는 괜찮다, 괜찮다고
말할 수도 있을 테니

그때는 살며시 눈물 훔치고
가슴 여민 채 떠나도 좋으리

엉거주춤 기운 채
바닥에 닿는 그리움

제주 노란등대

태풍이 제법
세차게 연애를
걸었던가봐

마음이 기울고
몸조차 비스듬히
수그렸던 밤

뜻밖의 만남과
돌연한 이별이
지나간 자리

바다에 빠질 듯
엉거주춤 기운 채
바닥에 닿는 그리움

제주, 이호1동
문무물 마을
기울어진 노란등대

꿋꿋하게 한강을 지키는

서울 마포 등대 아닌 등대

아주 오랜 시간 전부터
마포나루 봇짐들이
들락날락 거렸을 한강

정다운 시선으로
산책길 초록 바라보는
호젓하고 아담한 모습

남들은 그저 제멋대로
수위관측소라 쓰고 읽으며
의미 없이 부를 테지만

지나던 행인 몇 몇은
정성스러운 마음 다해
마포등대라 부른다

아름다운 자태로 서서
꿋꿋하게 한강을 지키는
한강의 애인, 마포등대

하늘을 지키고 강을 지키는

강화 돈대

손돌목 돈대
부드러운 능선에
흠뻑 반하고

용두 돈대
강한 의지에
불끈 힘을 얻는다

강화에도 돈대가 있다
부드럽게 힘센 강화 돈대는
등대를 부르는 다른 말이다

어느 날, 가까운 곳에서
하늘을 지키고 강을 지키는
강화 돈대를 만나러 가시라

부드럽고도
의지가 강한
강화의 등대를

part IV

poem with essay

길손의 굽은 어깨
지그시 품어주는

태안 옹도등대

바다보다 더 짙은
검푸른 하늘

가슴 열어
마중하는

등대 품은
고운 섬

넉넉한 나이테로
엮어낸 세월

알알이 묶인
섬세한 매듭

거친 파도 따라
부지런히 달려온

길손의 굽은 어깨
지그시 품어주는

아름다운 섬
옹도

아무리 그날 그곳에 세차게 바람이 불고 험한 눈보라가 몰아쳐 겨울을 뽐내는 추위가 닥쳐왔을지라도 항아리를 닮은 섬 옹도를 찾아 등대로 오르는 내 발걸음을 결코 막아낼 수는 없었을 것이다. 다행히 일기예보와는 달리 쾌청한 날씨가 펼쳐졌고, 온통 흥에 겨운 행락객들 틈에 끼어 앉아 태안 가의도를 향해 가는 그날, 그 섬 여행에는 옹골찬 매듭으로 엮인 아름다운 인연의 만남이 함께했으니까. 나들이 가듯이 태안 바닷가에 들렀다가 그냥 그저 바다에 반해 그곳에 눌러 앉아버린 그이는 번잡한 도시생활을 접은 대가가 제법 쏠쏠하다고 했다. 사시사철 먹거리의 변화무쌍함이 스릴 있다고도 했다.

　우리들 인생의 장면 장면을 오고 가는 수많은 매듭들 중에서 아주 오랫동안 얽히고 섞이며 살다가 종내 속 깊은 진심까지도 헤아려줄 수 있는 인연이 과연 얼마나 될까. 문득 외로움에 사무칠 땐 스스럼없이 곁을 내어주고 벅찬 기쁨이 있는 날은 함께 부둥켜 안고 기쁨을 나눌 수 있는 그런 사람. 굳이 말로 표현하지 않더라도 알알이 상대의 마음을 눈채채 주며 인생의 희로애락을 부끄럼 없이 보듬어줄 수 있는 그런 이가 바로 태안을 열렬히 애정하며 살고 있었다. 그리고 태안지기와 오랜만에 만나 함께한 여행이기에 그날의 옹도등대는 펑퍼짐한 옹기허리만큼이나 넉넉했다.

　　라면을 곁들인 꽃게탕 끓여줄 테니 지금 당장 태안
으로 달려오라고 하는 한마디가 언제나 일상에 찌들어
사는 나에게는 가장 치명적인 유혹이었다. 겨울이 한창
인 이맘때쯤이면 솔솔 풍겨오는 꽃게탕의 구수한 향기
를 상상만 해도 어느새 태안행을 재촉하게 되었으니까.
옹도등대를 만나러 가는 그날도 향긋한 꽃게탕에 미각
을 만족시키고 난 후 길을 나선 참이었다. 아무도 듣지
않게 서로의 갱년기 고민쯤 털어 놓아도 전혀 부끄럽지
않은 십년 터울의 인생친구. 진심을 나눌 수 있는 인생
의 멘토를 만나 함께하는 등대여행이었기에 파도를 가
르는 뱃전의 갈매기들이 우리 얘기를 엿듣는 것조차 하
나도 밉지가 않았던 하루였다.

태양의 꿈을 꾸다

강원도 고성 아야진등대

떠 오르는 태양
불 붙듯 다가와도

미처 태우지 못한
힘찬 날갯짓

태양보다 더 높이
날아오르는 비상

동해바다
붉은 꿈에

기어코
닿는다

아스라한 태양의 몸짓이 힘차게 기지개를 켜며 하루의 문을 연다. 씩씩한 그 모습이 마치 로켓을 닮아 주변 어느 누구에게 물어보지도 않은 채, 그저 나 홀로 이름 붙여 준 신비로운 로켓등대. 그의 붉은 자태 주변으로 온통 신비로운 아우라가 펼쳐지는 이곳은 강원도 고성 토성면에 있는 아담한 포구, 아야진이다. 황홀한 금빛 일출의 관현악이 울려 퍼지고 갈매기조차 너른 바다를 향해 힘찬 새날맞이 날갯짓을 하는 동해의 풍경 속에서 모두에게 속 깊은 안부를 전한다. 언제나 그렇듯이 첫걸음의 벅찬 감격이 새로운 날들을 향한 최상의 에너지로 전해지기를 간절히 바라는 마음이다.

야무지게 태양을 맞이하는 아야진은 동해바다 푸른 파도와 넘실 넘실 세상 사는 얘기가 정다운 아담한 어촌이다. 언젠가 이곳에 사는 몇 분들과 서울에서 우연히 마주친 인연이 있었는데, 그들의 따뜻한 초청으로 지금 이 순간 바라보기만 해도 가슴이 쿵쾅 쿵쾅 방망이질하는 감격의 황금바다를 볼 수 있게 된 것이다. 내가 태어난 강원도, 하지만 태어나기만 했을 뿐 여기에서 자라고 생활한 적이 없어 마냥 낯선 강원도가 참으로 정겹게 느껴지는 것은 바로 여기에 뿌리 내리고 있는 따뜻한 인연의 사람들 때문이다. 그들과 함께 웃고 떠든 정겨운 시간들이 아야진 붉은 등대 서글서글한 방파제 길 따라 저리도 아름답게 빛나고 있다.

진심을 다한 만남은 결코 얼마나 오래 만났는지, 아니면 얼마나 자주 만났는지에 달려있지 않는다는 사실을 불현듯 깨닫는다. 여기 아야진 등대 위로 떠오른 일출의 붉은 태양은 앞으로 펼쳐질 벅찬 날들을 한 치의 가식도 없이 반갑게 맞이해 주었고, 채워질 시간들을 한 땀 한 땀 소중하게 장식해 나가라고 아낌없는 격려의 박수를 보내주고 있다. 때로는 힘이 들 때도 있겠고, 때로는 슬플 때도 혹은 기쁨에 겨울 때도 있을 테지만 이곳 아야진 동해 바다는 변함없이 매일 붉은 꿈을 꾸고 벅찬 삶을 나누어줄 것이다. 바다를 비추는 황금빛 응원으로 새날들을 장식해줄 아름다운 그를 향해 무한한 경의를 표하는 바이다.

poem with essay #3

찬란하게 빛나던
억겁의 약속

강원도 양양 하조대등대

새초롬히 감추어둔
아스라한 기억의 속살

귓가에 조근 조근
속삭이는 간지러움

어느새 바다는
나선형 회오리로 변신

은밀하게 우주로
외계의 신호 보낸다

찬란하게 빛나던
억겁의 약속

드디어 이루어지는
찰나였을지도

비행접시 블랙박스
암호를 풀고

떠나왔던 별로
돌아가는 날이었을지도

우뚝 솟은 첨탑의 끝에서
문득 깨어나는

태고의
전설

드디어 인생 후반전을 보다 더 멋지게 장식해 보자고 손가락 걸며 다짐한 절친이자 사진작가인 다나와의 새로운 등대 힐링 프로젝트가 첫 걸음을 내딛는 순간이다. 만물이 생동하는 벅찬 계절, 살금 살금 봄을 부르는 기지개 소리가 귓가에 희망을 소곤거리더니 파릇 파릇 새싹이 움튼다. 금방이라도 터질 듯 수줍게 열리는 꽃망울들이 마냥 사랑스럽기만 하다. 이렇게 아름다운 속삭임 속에서 행복하게 풀어나갈 힐링 프로젝트의 민낯을 살짝 공개해 보려고 한다.

'에스더의 힐링 등대'에서 추구하는 '등대 치유 프로젝트'는 다름 아닌 사람과 사람 사이의 희망 스토리이다. 지독하게 복잡다단한 일상생활 속에서 무지막지하게 상처받는 사람들, 겉으로는 더할 나위 없이 용감하면서도 정작 하염없는 외로움에 몸부림치는 사연들, 무너지는 자존심을 부여잡고 차마 티내지 못하고 꺼이꺼이 속울음을 울 수밖에 없는 수많은 약자들을 향한 따뜻한 포옹이다. 저 홀로 우뚝 서서 길 잃은 자들에게 밝은 빛이 되어주는 등대를 찾아다니며 한 폭의 수채화처럼 채워질 겸손한 치유의 암호를 배워 나가려는 것이다.

아마도 한 땀 한 땀 바느질하듯 엮어나갈 이야기 주머니 속에는 가끔씩 검푸른 바람소리와 성난 파도 앞에서 여지없이 부서지는 초라한 모습이 발견될 수도 있을 것이다. 그러면서도 때때로 사춘기 시절에나 있음직한

철부지 같은 표정을 하고 대책 없이 통 통 뛰는 발랄함을 들킬지도 모르겠다. 그래도 감히 용기 내어 귀하고도 귀한 지면을 훔치는 것은 등대스토리를 통하여 어느 누군가 단 한 명이라도 고달픈 일상에 자그마한 보자기만큼의 위로라도 받을 수 있을까 하는 바람이 있어서이다. 다나의 사진으로 배경 삼고 수줍은 에스더의 시 한 구절로 무기 삼아 세상을 살아볼 만하다고 느끼게 해주고픈 야무진 꿈이 있기 때문이다.

붉은 꽃잎
숲에 젖는다

여수 거문도등대

동백 터널
고운 속살
파고드는 순정

굵은 눈물
붉은 꽃잎
숲에 젖는다

거문도
깊은 속살
아찔한 자태

성난 파도
굽이치는
아득한 절벽

백 개에서
한 개를 덜어낸
미완의 완성

설레임으로
벅차오르는
넉넉한 白島

어릴 때 즐겨 듣고 부르던 광고 음악 중에 생각나는 노래가 있다. "열두시에 만나요. 브라보콘, 둘이서 만나요. 브라보콘, 살짜쿵 데이트…"라는 신나는 리듬의 광고음악이었다. 추운 바람도 살짝 누그러져 계절이 흐느적 흐느적 아지랑이를 피어 올리기 시작하는 어느 날, 그 광고의 노래 가사처럼 밤 12시에 절친과 함께 거문도행 버스를 탔다. 아찔하게 붉은 가슴을 닮은 동백터널 끝자락에 숨어 있는 백도 지키미, 힐링등대를 찾아서.

여행은 항상 설레임과 두려움을 함께 동반하는 습관이 있다. 특히 섬을 찾아가는 길은 멀고도 험해서 밤새도록 깜깜한 밤을 통과해 어스름 일출이 뜨고 나서야 만난 여수의 아침은 더욱 그러했다. 깔깔한 입맛을 달래며 여객선 터미널 인근의 식당에서 끼니를 채웠다. 이제 거문도행 배를 타러 가는 사전준비는 조그만 약병에 들어있는 멀미약을 챙기면 된다. 멀미약을 복용하지 않으면 무슨 불상사가 일어날지 모른다며 겁을 주는 일행의 첨언에 순종하며 항구의 작은 약국에서 구한 귀한 해결사를 신뢰하며 비로소 우리는 배에 올라탄다.

거문도는 섬 양쪽으로 등대를 품고 있었다. 욕심 같아서는 두 곳 모두 입 맞추고 껴안아주고 싶었지만, 여러 가지 여건상 이번에는 동백터널 끝에 숨은 아름다운 거문도 등대만을 찾아볼 수 있었고, 아쉽게도 서도 쪽 녹산등대는 다음을 기약하여야 했다. 터널을 뚫고 지나는 동안 동백은 하염없이 눈시울을 붉히고 있는 중이었다. 또 하나의 계절을 맞이하기 위한 마중물로 스러지는 동백의 순정. 터널 끝 절벽에 올라선 등대는 더욱 더 겸손한 자태로 빛나며 일백(百)개의 섬에서 한 개가 모자라 백(白)도라고 불리우는 바다의 보석들을 바라보고 있었다. 푸른 바다와 어우러진 거문도와 백도의 아름다운 화합을…

무심한 그림자로
다가오는 운명

홍성 남당항 누드등대

아담과 이브의
갈비뼈로 얽힌 사랑

무심한 그림자로
다가오는 운명

눈부시게 찬란한
햇살과 섞인다

그립다,
말하지 않아도

투명한 뼈대 사이로
온몸 가득 해풍에 맞선

굵은 침묵으로
쏟아지는 수다

흔들리지 않는
단정한 호흡

뜨거운 바람
가슴 더듬고

흐르는 세월의
한없는 두께만큼

속 깊은 바다
전설을 낳는다

살면서 가끔씩 단어 바꾸기 연습을 해볼 때가 있다. '힘들다, 힘들어'라고 말하고 싶을때는 '괜찮다, 괜찮아'로 바꿔 말하고, '죽겠네… 죽겠어'라고 외치고 싶을 때는 '살만하네, 살만해'라고 노래 부르듯이 흥얼거려 보는 그런 때 말이다. 땅이 꺼져라 한숨이 늘어질 때는 '이정도는 아무것도 아니야…'하면서 인생을 제멋대로 리셋해 버리고 마는 순간들. 그렇게 나름대로의 처세술로 힘든 순간들을 이겨내려 안간힘을 쓰다가도 어느 순간 지쳐 쓰러질 것 같은 날이 있다. 충남 홍성의 호젓한 바닷가 남당리 누드등대를 찾아간 날도 그런 날이었다.

서투른 감정의 기복을 다스리기 위해 찾아낸 바꿔 말하기 방법에 익숙해지다 보면 가슴 속에 솟아나는 희로애락의 순간들을 날것 그대로 표현하지 못하는 경우가 허다하다. 아마도 살아가면서 부딪치는 복잡한 감정들을 그대로 현실이라는 무대에서 풀어내려 했다가는 상처 받고 야위어 쓰러져 버릴 것이 분명하기 때문이다. 그런데도 가끔은 스스로에게 솔직해져야 할 때가 있다. 기쁘면 기쁜 대로, 슬프면 슬픈 대로 울어버려야 할 때 말이다. 외로움은 외로움대로, 고통은 고통대로 쏟아버려야 하는 아슬아슬한 순간들.

바로 그러한 순간에 찾아간 남당리 방파제 등대는 겸손한 모습으로 지친 나그네의 속살을 부끄럽지 않게 보듬어 주고 있었다. 매일 매일의 빼꼭한 일상들을 빈틈없이 채워 나가려고 몸부림치다가 숙제처럼 문득 떠나 발걸음을 옮긴 곳. 주섬주섬 배낭을 챙기고 나름대로의 경비를 가늠해 지갑 속에 몇 장의 지폐만을 넣고 떠난 그 곳에서는 그저 침묵만으로도 아름다운 교감이 이루어 졌다. 눈부시게 찬란한 햇살마저도 등대의 겸손한 몸짓 사이로 투명하게 빛나며 이 세상 어느 교향악보다도 아름다운 치유의 악보를 연주하고 있었다.

숨바꼭질하는 낮과 밤

인천 월미도등대

한낮 경쾌함으로
재잘거리는 바다
순백의 등대 향해
끊임없이 수다 떨고

등탑 은밀한 곳
숨어든 갈매기
햇살과 한바탕
숨바꼭질하는 사이

시나브로
초록으로
변신하는
등대

붉은 태양마저
바다에 빠지고
부끄러운 곁눈질
밤이 취한다

저녁이 되고 아침이 되니, 이는 첫째 날이니라, 성경 창세기에 나오는 구절이다. 혼돈의 우주를 창조하는 작업이 얼마나 고되었을까 생각하면 저녁과 아침을 만든 절대자의 혜안이 놀랍기만 하다. 만약, 하루가 계속 저녁이거나 혹은 끊임없이 아침만 이어진다고 생각해 보면 더욱 더 그렇다. 깜깜한 밤이 지속될 때의 절망과 하루 온 종일 해가 떨어지지 않는 대낮뿐일 때의 휴식할 수 없는 고단함이 크나큰 고통으로 다가오지 않는가. 그래서 아마 월미도의 낮과 밤의 오묘한 대조가 그렇게도 아름답고 황홀하게 다가왔는지도 모르겠다.

한낮의 월미도는 경쾌한 리듬이었다. 쉴새 없이 재잘거리며 동심을 유혹하는 유원지 놀이공원이 그러했고, 밝은 표정으로 방파제 끝까지 등대를 향해 걸음을 옮기는 어른들의 바다가 또 그러했다. 애써 꾸미지 않아도 녹슨 몸체마저 경이로운 월미도 등대는 순백의 세월을 고스란히 지키며 서 있었고, 등탑까지 오르내리는 갈매기의 몸짓까지도 앙증맞게 보듬고 있었던 것이다.

그러다가 이내 월미도 바다에 붉은 석양이 떨어지고 있었다. 해를 품은 바다는 초록으로 옷 갈아입는 등대의 화려한 변신을 곁눈 뜨고 훔쳐보는 중이었고, 하나 둘씩 주변의 조명등도 덩달아 오색 창연한 모습으로 색깔을 달리 하고 있었다. 오페라의 주인공이 되어 쇼를 펼칠 리허설을 준비하듯 유원지 회전 놀이기구가 삼백

육십도 화려한 조명을 밝히자, 잔잔하게 흐르던 배경음악마저도 중저음의 진한 선율로 리듬을 바꿔 탔다. 이렇게 저녁이 되니 곧 밝아올 아침까지는 맘껏 취해도 좋으리라. 저 초록의 황홀한 변신을 핑계 삼아 말이다.

하마터면
기대어 울 뻔했지

당진 장고항 안개등대

물어보고 싶었어
언제부터 거기에
있었던 건지

선한 빛으로
물드는 안개
그 틈에 숨은

하마터면
기대어
울 뻔했지

다부진 가슴
품어주던
너에게

속 없이
온 몸
던질 뻔했어

황금빛
안개등대
고운 꿈길 위에

　황금빛 안개로 물드는 벅찬 위로를 만났다.

　그날, 장고항의 하늘은 온통 안개 속에 파묻혀 있었다. 마치 부드러운 솜이불 귀퉁이에 두 뺨을 간질이며 부스스 잠에서 깨어나는 천사라도 숨어있는 듯, 조금씩 아주 서서히 신비로운 하얀 날개를 드러내고 있는 중이었다. 그 날개 아래 장고항에서 십여분의 바닷길을 가야 만날 수 있는 고운 섬, 국화도를 향한 첫 배의 설레임이 너울거렸다.

　때이른 뱃고동 소리에 선잠 깬 항구의 갈매기들조차 저마다 바쁘게 세수를 하고 아침단장을 마친 뒤 부지런히 국화도 가는 배를 따라 나서고 있었다. 하늘은 좀처럼 민낯을 보여주지 않은 채 느린 표정으로 국화도까지

동행하였다. 드디어 도착한 작은 섬, 방파제에 수줍게 발걸음을 옮겨 놓으려니 아스라한 실루엣으로 빛나는 국화도 노란등대의 아스라한 모습.

　황금빛으로 물드는 설레임을 느껴본 적이 있었던가, 깊이를 가늠할 수 없는 두근거림이 손 대면 바로 터질 듯한 자태로 가까이에 숨 쉬고 있는 그 모습을. 그렇게 국화도 등대는 안개 속에서 다부진 가슴을 열어 보이고 있었다. 길게 이어진 방파제 길을 따라 두런 두런 뿌려지는 나그네의 사연들을 온 몸으로 껴안으며…

굵은 호흡으로
신명나게 흐드러지던

전남 나주 영산강 영산포등대

오랜 세월 굽이 돌아
꿈결로 흐르는 강물
나이테 속살에 숨겨둔
정겨운 포구의 가락 울리는데

굵은 호흡으로
신명나게 흐드러지던
홍어잡이 탁주 한 사발
구수한 넉살까지 섞으니

나직한 산 너머
불어오는 바람마저
취하여 비틀거리다
숨을 곳을 찾는다

너그러운 가슴
무던히 내어주는
따뜻한 어머니의 품
영산포 등대

이 세상에는 두 가지 종류의 사람들이 있다. 홍어회를 좋아하는 사람과 홍어 특유의 꼬리꼬리한 냄새를 싫어해서 홍어회 맛보기를 극도로 거부하는 사람. 그런데 나는 홍어가 참 좋다. 홍어라는 이름만 들어도 입맛이 돌고 침이 고인다. 삼합이라고 했던가. 특히 돼지고기 삼겹살과 묵은지와 함께 궁합을 이루어 즐기는 맛은 그 어떤 미사여구로도 표현할 수 없는 건강한 진미라고 할 수 있다. 구수한 탁주 한잔 걸쳐주는 건 두 말할 나위 없는 행복이다. 이러한 홍어들의 흥겨운 잔치가 벌어진 대표적인 명소가 있는데, 이번에 찾아간 영산포 항이 바로 그곳이다.

영산포는 영산강을 품고 있는 씩씩한 강항(江港)이다. 홍어는 예로부터 동해나 남쪽에서는 잡히지 않고 주로 서해안 쪽에서 잡힌다. 조수간만의 차가 심한 전남 진도나 홍도, 흑산도 등에서 특히 홍어잡이가 활발하다. 그렇게 잡힌 홍어는 전남 나주군 영산포항에서 거나한 경매꾼들의 아우성 속을 헤집고 다니게 된다. 진도나 흑산도 등지에서 무려 12시간이나 돛을 달고 와야 도착할 수 있는 영산포는 그래서 홍어의 본산으로도 유명하다. 곳곳에서 볼 수 있는 홍어맛집 간판들, 홍어거리에 들어서면 저절로 군침이 돌 수밖에 없다.

　화려한 전성기를 구가하며 불야성을 이루었던 영산
포구 선창에 지금은 고깃배들이 드나들지 않는다. 영산
강을 굽어보며 서 있던 영산포 등대만이 그 아름다운
시절을 추억하는 역사의 아이콘으로 남아 있다. 영산교
뚝방에서 넘실거리는 영산강을 바라보며 깊이 사색하
는 영산포 등대는 수위관측과 등대의 기능을 겸했던 우
리나라 유일의 강항 등대이다. 바다만 지키는 게 등대
라고 생각했던 고정관념을 아름답게 무너뜨리는 영산
포 등대. 뱃길이 끊기면서 비록 등대의 기능은 잃어버
렸지만 '대한민국 유일의 내륙등대'로서의 영산포 등대
는 인자한 어머니처럼 흐르는 세월을 고스란히 품어주
고 있었다.

수줍은 숨결로
흐르는 여백

부산 영도등대

어디쯤에서 왔을까
황금빛 둥근
설레임

오롯이 새 단장하고
거울 앞에 선
하늘바다

삼백예순다섯 마디
수줍은 숨결로
흐르는 여백

눈부신 자태로
찬란하게 입 맞추는
꽉 찬 마중

사랑스럽다. 찬란한 새 해를 맞이하는 황금빛 바다 물
결. 부드러운 리듬으로 거칠고도 거친 파도를 너울 춤 추
게 만드는 신비로운 바람의 손길이. 저 멀리 수평선을 온
통 오렌지빛으로 물들이며 떠오르는 태양의 벅찬 하늘
오름. 아름답고 가슴 뛰는 새 날의 마중이다. 고단하고
분주했던 지난 시간들은 보듬고 다듬어 새롭게 펼쳐질
순백의 날들을 위한 희망으로 삼아야겠다. 그리고 모아
진 긍정의 힘을 보태어 벅찬 걸음을 내딛어야 할 때이다.

　모두의 소망과 염원을 가득 담아 펼쳐질 새해의 삼백
예순다섯 날. 형형색색으로 물들어 저마다의 모양으로
다가올 그날들이 미세한 떨림으로 오감을 자극한다. 결
코 두려워할 일도 아니며 굳이 피할 일도 아니다. 곁눈
뜨지 말고 순전한 눈빛으로 바라보자. 둥글면 둥근 대로,
모가 나 있으면 모가 나 있는 대로. 각이 지면 각이 진 대
로, 휘어지면 휘어져 있는 대로 오롯이 감당해야 하는 것
이 바로 이 시대를 살아가는 우리들의 몫일 테니까.

　새해에는 조금 더 당당해질 일이다. 바다를 오고 가
는 배들이 등대의 찬란한 불빛을 바라보며 올바른 방향
을 가늠하는 것처럼. 우왕좌왕 방황하다가 행여 잘못 된
길로 들어서지 않도록 용기와 지혜로 명철을 더해야겠
다. 새롭게 그려질 희로애락의 풍경들을 위해 정성스럽
게 물감을 풀고 섬세한 손길로 붓을 잡아야 할 것이다.
때로 힘들고 어려운 순간과 맞닥뜨릴지라도 서로의 품

을 내어 주며 넉넉한 등에 기댈 수 있도록 몸과 마음을 따뜻하게 하자. 찬란한 태양의 마중을 받으며 하늘 오름 하는 저 아름다운 새 해, 새 날들을 위하여.

새벽을 품다

당진 안섬포구등대

버선발로 달려와
수평선을 깨물고

꼬마 마법사처럼
파도 끝에 입 맞추며

함께 바라보는
방향이

참
곱기도 하다

새벽 빛에 물드는
안섬포구 붉은 등대

아름다운 날이었다. 당진 안섬포구를 찾아 길을 나선 그 날은. 비록 바람은 몹시 변덕스럽고 날카로웠지만 암시랑토 않았다. 짓궂은 날씨의 방해쯤은 힐링등대를 만나러 가는 두근두근 설렘을 기어코 막을 수는 없었으니까. 새벽길을 달려 등대를 만나고 바다 위를 물들이는 여명의 품에 안기는 순간 가슴이 벅차 올랐다. 새 날을 맞이한 감격은 붉은 빛으로 물드는 매직아워에 그만 취해 버렸으니, 이제 또 다시 펼쳐질 하루하루를 정성스럽게 꺼안아주고 맘껏 사랑하리라 다짐해 본다.

모든 소망에는 다 이유가 있을 것이다. 건강을 바라는 마음도, 재물을 소원하는 바람도, 그리고 천 가지만 가지의 아름다운 인연들을 만들어 내는 만남들도 저마다의 염원을 가지고 새벽 일출을 맞이한다. 그래서일까, 안섬포구를 환하게 밝혀주는 태양의 빛은 유난히도 따뜻한 표정으로 등대 마중을 나와 주었다. 안섬포구 바다에 서면 외로운 사람이나 상처받은 나그네, 혹은 인생의 결정적 순간을 맞이하는 이들도 모두 등대의 선한 기운을 받는다.

르네상스 시대의 예술가들은 사람이 중심이 되는 작품을 만들고자 노력했다고 한다. 인간의 본성을 외면하는 중세시대의 암흑기를 벗어나 인간의 지성과 창의성을 부활시키려는 움직임이었다. 아마 지금 우리에게 필요한 것도 바로 그러한 삶의 재발견이 아닐까 싶다. 사람이 사랑이 되는 아름다운 융합이 혼란스럽고 험난한 현실을 헤쳐 나가는 지혜로운 방법이 될 테니까 말이다. 아름다운 날, 따뜻한 등대의 사랑을 마중물 삼아 새로운 희망을 길어 올리는 이 시대의 르네상스를 아름답게 꿈꾸어 본다.

Healing outer lighthouse #1

칭따오등대, 황금빛 유혹

힐링등대의 맨 마지막 주인공이자,
〈outer lighthouse 시리즈〉의 맨 처음으로
끝과 시작을 동시에 장식하는 [칭따오등대].
다른 모습으로 곧 다시 만나기로 다짐한다…

to be continued…

중국 칭따오등대

황금빛 심장 바다를 품고
너그러운 시선 하늘까지 닿아
아슴아슴 자색으로 키를 높이는
칭따오, 은근한 도시의 유혹

서른 해를 훨씬 넘게
돌고 돌아 흐르다가
이제야 그녀 앞에 선
스무 살, 비릿한 가슴

사흘 밤 달을 품고
나흘 낮 해를 취해   어울렁 더울렁 빌딩 숲 사이
요트 빛 해변   수직의 햇살이 추는 막춤
오롯이 채우더니   다시 온다는 약속마저도
    따스한 온기로 숨겨둔 채

누군가 두고 간
회색의 자전거   아스라이 다가오는
정다운 풍경으로   바람 결 속삭임
까르르 신명이 난다   들릴 듯 말 듯
    청춘이 녹는다

황금빛 유혹으로
찬란하게 빛나는
칭따오 등대,
은밀한 동행

Esther's Healing lighthouse

에스더의 힐링등대

초판 1쇄 발행일 2020년 5월 1일

지은이 신에스더
펴낸이 곽혜란
편집장 김명희

도서출판 문학바탕

주소 (06151) 서울시 강남구 테헤란로 323 휘닉스빌딩 1008호
전화 02)545-6792
팩스 02)420-6795

출판등록 2004년 6월 1일 제 2-3991호

ISBN 979-11-86418-44-4   03810

정가 14,000원

이 도서의 국립중앙도서관 출판예정도서목록(CIP)은 서지정보유통지원시스템
홈페이지(http://seoji.nl.go.kr)와 국가자료종합목록 구축시스템(http://kolis-net.
nl.go.kr)에서 이용하실 수 있습니다. (CIP제어번호 : CIP2020014613)